Stéphanie de Turckheim

Moi, je tartine toute l'année !

Crèmes, mousses et autres douceurs à tartiner

photographies : Isabelle Schaff

Tana
éditions

Sommaire

Moi, je tartine toute l'année !

Voilà de quoi vous régaler ! Il y a des préparations pour tous les goûts, tous les âges et toutes les envies. Des salées, des sucrées et même des salées-sucrées.

Certaines sont classiques et d'autres sont de petites inventions que j'ai rêvées, imaginées et conçues. Mes enfants ont adoré réaliser quelques petites pâtes à tartiner (la crème de fraises tagada® pour Hugo, le « crunch » à tartiner au chocolat blanc pour Basile et les rillettes de lapin à la noisette et à l'abricot pour Edgar.)

Je vous les propose sous forme de petits menus à thème, mais vous pouvez aussi bien les associer selon vos envies.

Quoi que vous décidiez, le choix des pains qui vont accompagner vos préparations est essentiel. En effet, si vous prenez la peine de préparer rillettes, crèmes ou pâtes à tartiner, il vous faut une bonne base pour les présenter et les savourer ! Le choix est vaste, n'hésitez pas à dévaliser votre boulanger et à goûter la multitude de petits pains complets, au seigle, au son, aux céréales, aux noix, au muesli, aux fruits secs... Mais ne délaissez pas pour autant les pains plus doux, au lait, viennois, brioche simple ou pur beurre. Dans les supermarchés, faites le plein de crackers, de biscottes de toutes sortes, c'est délicieux, craquant et plein de saveurs nouvelles. Au rayon germanique, découvrez les pains noirs denses et les pains aux graines. Ceux-ci sont aussi bons froids que chauds, mais sachez les marier, car leur goût est fort. Au rayon anglais, jetez-vous sur les muffins, pancakes, crumpets, scones, oatcakes ou toutes les sortes de biscuits secs, sucrés ou salés. Au rayon oriental, savourez naans, galettes, pain libanais, pain lavash... Dégustez aussi vos préparations sur nos traditionnels petits gâteaux, madeleines, petits-beurre, galettes, crêpes, gaufres. N'oubliez pas les blinis au rayon frais ou faites-les vous-même.

Et pour sublimer vos préparations salées, parsemez-les d'herbes fraîches : c'est délicieux, riche en vitamines et plein de saveurs. Quant aux préparations sucrées, ornez-les de morceaux de fruits ou de zestes d'agrumes pour les alléger et les rafraîchir.

 vous de jouer, et bonne dégustation !

Mes tartines classiques

Cap sur la Bretagne

BEURRE DE CREVETTES GRISES

INGRÉDIENTS
- 200 g de crevettes grises
- 150 g de beurre salé de Guérande à température ambiante
- 1 c. à s. de jus de betterave
- Poivre

1 Mixer les crevettes grises ou les écraser grossièrement à l'aide d'une fourchette.

2 Travailler le beurre en pommade et le mélanger avec les crevettes grises dans un saladier.

3 Poivrer puis ajouter le jus de betterave afin de donner une couleur rose à la préparation.

4 Bien mélanger et laisser reposer au frais pendant au moins 2 heures afin que les saveurs se diffusent.

5 Servir sur des blinis ou des pains au lait.

variante

Faire de même avec des crevettes roses.

TARAMA DE HADDOCK

1 Faire cuire les pommes de terre dans de l'eau bouillante pendant 20 minutes environ.

2 Pendant ce temps, faire bouillir le lait dans une casserole puis la retirer du feu. Y mettre le haddock à pocher et laisser refroidir entièrement.

3 Éplucher les échalotes et les hacher.

4 Retirer les arêtes du poisson et le mettre dans le bol du mixeur. Ajouter les pommes de terre, les échalotes, la ciboulette, le jus de citron, la crème fraîche, l'huile d'olive et du poivre. Mixer.

5 Laisser reposer au frais puis tartiner sur des blinis .

INGRÉDIENTS
- 2 pommes de terre
- 20 cl de lait
- 250 g de filets de haddock
- 4 échalotes
- 2 c. à s. de ciboulette
- Le jus de 1 citron
- 15 cl de crème fraîche épaisse
- 2 c. à s. d'huile d'olive
- Poivre

astuce

Ajouter quelques baies roses.

ÉTOILES DE MER AU CARAMEL
AU BEURRE SALÉ

INGRÉDIENTS

- 100 g de sucre en poudre
- 20 cl de crème liquide à température ambiante
- 50 g de beurre salé de Guérande
- Quelques tranches de pain brioché

1 Faire un caramel à sec : verser le sucre dans une poêle et chauffer en remuant jusqu'à ce que le sucre devienne liquide et coloré.

2 Ajouter la crème liquide, puis le beurre, en remuant sans cesse. Mélanger jusqu'à l'obtention d'un mélange homogène.

3 Verser dans un pot et laisser refroidir. Le caramel va s'épaissir en refroidissant.

4 Découper les tranches de pain brioché en forme d'étoile à l'aide d'un emporte-pièce et les faire griller.

5 Tartiner les étoiles de caramel.

astuce

Ajouter 1 pincée de fleur de sel au caramel.

Saumon, saumon et saumon

RILLETTES AUX DEUX SAUMONS

INGRÉDIENTS
- 100 g de pavé de saumon
- 1 échalote grise
- Le jus de 1 citron
- 1 pincée de fenouil déshydraté
- 50 g de saumon fumé
- 10 cl de crème fraîche
- 2 c. à s. de ciboulette ciselée
- Sel et poivre

1 Couper le pavé de saumon en petits morceaux.
2 Éplucher l'échalote et l'émincer finement.
3 Mettre ces ingrédients dans un bol avec le jus de citron, le fenouil et du poivre. Laisser mariner pendant 1 heure.
4 Détailler le saumon fumé en petits morceaux.
5 Les ajouter à la préparation précédente, mélanger puis ajouter la crème fraîche et la ciboulette. Saler et poivrer. Bien mélanger et réserver au frais.
6 Servir avec du pain frais.

variante

Délicieux aussi avec du cerfeuil et des baies roses.

MOUSSE DE SAUMON AU CITRON ET À L'ANETH

INGRÉDIENTS
- 300 g de saumon fumé
- 200 g de ricotta
- Le jus de 1 citron
- 2 brins d'aneth
- 2 c. à s. d'œufs de saumon
- Sel et poivre

1 Couper le saumon fumé en morceaux.
2 Les mettre dans le bol du mixeur avec la ricotta, le jus de citron, l'aneth et 1 pincée de sel et 1 pincée de poivre. Mixer de façon à obtenir une mousse.
3 Verser dans un bol et ajouter les œufs de saumon. Mélanger et réserver au frais.
4 Déguster sur du pain grillé.

SAUMON AU LEMON CURD

1 Battre les œufs et le sucre dans un saladier.
2 Faire fondre le beurre dans une casserole
et y ajouter le mélange précédent ainsi que le jus
de citron. Chauffer de façon que le mélange
épaississe, en remuant sans cesse.
3 Verser dans un pot et laisser refroidir.
4 Découper les tranches de pain de mie en forme
de poisson à l'aide d'un emporte-pièce.
5 Tartiner les poissons de lemon curd.

INGRÉDIENTS
- 3 œufs
- 150 g de sucre fin
- 40 g de beurre
- Le jus de 3 citrons
- Quelques tranches
  de pain de mie brioché

À la plage

RILLETTES DE CRABE AUX HERBES

INGRÉDIENTS
- 1 boîte de chair de crabe
- 2 c. à s. de crème fraîche
- Le jus de 1 citron vert
- 2 c. à s. de citronnelle fraîche ciselée
- 1 c. à s. de coriandre fraîche ciselée
- Sel et poivre

1 Écraser le crabe à la fourchette dans un bol.
2 Ajouter la crème fraîche, le jus de citron et les herbes ainsi que 1 pincée de sel et de poivre.
3 Bien mélanger, goûter et rectifier l'assaisonnement si nécessaire.
4 Servir sur de la baguette ou sur du pain de campagne.

TARTINE DE ROUGETS AUX TOMATES CONFITES

1 Faire cuire les rougets à la poêle,
sans ajouter de matières grasses.
2 Mettre les tomates confites avec un peu
de leur huile dans le bol du mixeur
et mixer pour réduire en pâte.
3 Prélever la chair des poissons
et la mélanger à la pâte de tomates
confites. Saler et poivrer puis ajouter
le basilic. Bien mélanger.
4 Réserver au frais et déguster
avec du pain frais.

INGRÉDIENTS
- 4 rougets
- 4 c. à s. de tomates
  confites à l'huile d'olive
- 1 c. à s. de basilic ciselé
- Sel et poivre

variante

Remplacer les tomates confites par de la tapenade.

COQUILLAGES EN CHOCOLAT

1 Porter la crème fleurette à ébullition
dans une casserole puis la retirer du feu.
2 Casser le chocolat en morceaux.
3 Les mettre dans la casserole
et laisser fondre en fouettant
sans cesse afin d'obtenir
une texture onctueuse.
4 Verser la crème dans
des coquillages (que ce soit
des moules ou de vrais
coquillages rapportés
de vacances).
5 Servir sur 1 gaufre
ou sur 1 petite
crêpe chaude.

INGRÉDIENTS
- 15 cl de crème
  fleurette
- 200 g de chocolat
  pâtissier

Sur mon bateau

TARTINADE D'ŒUFS DE SAUMON

1 Verser le fromage blanc et la crème fraîche dans un saladier. Fouetter pour bien mélanger.

2 Ajouter le raifort, le jus de citron, la ciboulette, un peu de sel et poivre. Fouetter pour bien mélanger.

3 Ajouter en dernier les œufs de saumon et mélanger délicatement pour ne pas les casser.

4 Servir sur 1 tartine de pain noir.

INGRÉDIENTS
- 100 g de fromage blanc
- 2 c. à s. de crème fraîche épaisse
- 1 c. à c. de raifort
- 2 c. à s. de jus de citron
- 2 c. à s. de ciboulette ciselée
- 50 g d'œufs de saumon
- Sel et poivre

astuce

Déposer quelques feuilles de roquette sur la tartine.

TERRINE AUX ANCHOIS FRAIS

1 Préchauffer le four à 160 °C.

2 Laver les anchois, les rincer puis les éponger. Les ranger les uns à côté des autres dans une terrine.

3 Arroser de jus de citron puis couper le citron en fines rondelles.

4 Éplucher l'ail puis l'émincer.

5 Le répartir sur les anchois. Ajouter le piment d'Espelette et les rondelles de citron. Verser le vinaigre et l'huile d'olive.

6 Faire cuire au four pendant environ 15 minutes.

7 Laisser refroidir et mettre le tout dans un bol. Ajouter la coriandre et mélanger.

8 Servir sur des toasts.

INGRÉDIENTS
- 500 g de filets d'anchois frais
- le jus de 1 citron non traité
- 2 gousses d'ail
- 1 pincée de piment d'Espelette
- 4 c. à s. de vinaigre doux
- 2 c. à s. d'huile d'olive
- 4 c. à s. de coriandre ciselée

CHUTNEY DE SALICORNES

1 Rincer les salicornes à l'eau claire. Les mettre dans un pot à confiture ou une terrine.
2 Peler la carotte et l'oignon. Tailler la carotte en rondelles et émincer l'oignon.
3 Les ajouter dans le pot avec les graines de moutarde.
4 Verser le vinaigre et 10 cl d'eau. Mélanger. Poivrer.
5 Couvrir et laisser reposer pendant 10 jours.
6 Servir sur du pain aux céréales grillé ou avec de la viande froide.

INGRÉDIENTS
- 100 g de salicornes
- 1 carotte
- 1 oignon rose
- 1 c. à c. de graines de moutarde
- 10 cl de vinaigre
- Poivre

Un air de campagne

MOUSSE DE FOIE AUX TROIS POIVRES

INGRÉDIENTS
- 1 gousse d'ail
- 1 oignon
- 2 c. à s. d'huile d'olive
- 225 g de foies de volaille
- 125 g de beurre frais
  à température ambiante
- 1 c. à s. de porto
- Sel
- 1 c. à c. de mélange
  trois poivres

1 Éplucher l'ail et l'oignon puis les émincer.

2 Faire chauffer l'huile dans une poêle et y faire revenir l'ail, l'oignon et les foies de volaille pendant 10 minutes environ.

3 Saler, poivrer puis laisser refroidir.

4 Verser cette préparation dans le bol du mixeur, ajouter le beurre coupé en morceaux et le porto puis mixer en mousse.

5 Verser dans un bol et laisser durcir au réfrigérateur.

6 Servir sur du pain de campagne ou sur 1 morceau de baguette bien fraîche.

astuce

Pour un goût plus fort en poivre, concasser soi-même les grains de poivre.

PÂTÉ AUX HERBES

1 Verser 10 cl d'eau dans le bol du mixeur et ajouter le lait de soja en poudre. Ajouter l'huile et mixer jusqu'à l'obtention d'une sauce crémeuse.
2 Ajouter les fines herbes, saler puis poivrer.
3 Laisser reposer au frais.
4 Tartiner sur du pain de seigle.

astuce

La base au lait de soja est ultralégère : on peut la décliner sans modération, même en version sucrée.

INGRÉDIENTS
- 2 c. à s. de lait de soja en poudre
- 10 cl d'huile d'olive fruitée
- 1 bouquet d'herbes fraîches (basilic, persil, coriandre, ciboulette) hachées
- Sel et poivre

TARTICOMPOTE

INGRÉDIENTS
- 5 pommes
- 2 poires
- 1 sachet de sucre vanillé
- 1 sachet d'agar-agar

1 Peler les fruits et les épépiner. Les couper en morceaux.
2 Les faire cuire dans une casserole avec un peu d'eau. Lorsqu'ils sont tendres, ajouter le sucre vanillé.
3 Verser dans le bol du mixeur et mixer afin d'obtenir un mélange bien lisse.
4 Ajouter l'agar-agar en suivant les indications portées sur le paquet et en réduisant légèrement les quantités indiquées. Il faut que la compote se tienne mais ne soit pas dure.
5 Servir dans 1 brioche parisienne creusée ou sur 1 beignet.

variante

Ajouter 1 pincée de cannelle ou 1 clou de girofle.

Esprit chasseur

RILLETTES DE LAPIN À LA NOISETTE ET À L'ABRICOT

1 Mettre les abricots dans un bol avec de l'eau chaude et les branches de thym. Laisser gonfler.

2 Faire dorer les morceaux de lapin dans l'huile d'olive puis ajouter les noisettes et les abricots avec l'eau de thym. Saler et poivrer.

3 Laisser mijoter pendant 1 heure 30 environ. Il faut que le lapin soit fondant et se détache à la cuillère. Surveiller la cuisson et ajouter de l'eau si nécessaire.

4 Laisser tiédir puis retirer les os du lapin.

5 Écraser grossièrement le mélange à l'aide d'une fourchette.

6 Servir sur du pain complet.

INGRÉDIENTS
- 150 g d'abricots secs
- 3 branches de thym frais
- 3 ou 4 morceaux de râble de lapin
- 2 c. à s. d'huile d'olive
- 50 g de noisettes entières
- Sel et poivre

CONFIT DE SANGLIER AU CHOCOLAT

1 Éplucher l'ail et 1 oignon et les émincer finement.
2 Mettre les morceaux de viande dans un grand bol.
Ajouter l'ail, l'oignon, le vin et le bouquet garni.
Laisser mariner pendant toute une nuit.
3 Le lendemain, passer la marinade au chinois.
Sécher rapidement les morceaux de sanglier
avec du papier absorbant.
4 Éplucher et émincer l'autre oignon.
5 Le faire revenir dans de l'huile d'olive.
Ajouter les morceaux de viande
et les saisir de toutes parts.
6 Couvrir avec la marinade et laisser
mijoter de 50 minutes à 1 @heure.
7 En fin de cuisson, ajouter le chocolat.
Laisser fondre afin qu'il épaississe la sauce.
8 Laisser refroidir puis verser la préparation dans
le bol du mixeur et mixer grossièrement.
9 Saler, poivrer et déguster sur du pain grillé.

INGRÉDIENTS
- 1 gousse d'ail
- 2 oignons
- 4 morceaux de filet de sanglier
- 50 cl de vin rouge
- 1 sachet de bouquet garni
- 1 c. à s. d'huile d'olive
- 1 carré de chocolat extra-noir
- Sel et poivre

ŒUFS DE CAILLE AU CHOCOLAT AUX NOISETTES

1 Casser le chocolat en morceaux.
2 Porter la crème fleurette à frémissement
dans une casserole puis y ajouter
le chocolat. Battre au fouet.
3 Laisser refroidir puis modeler
des œufs de caille et les rouler
dans la poudre de noisettes.
4 Étaler sur 1 tranche
de pain grillée chaude.

INGRÉDIENTS
- 100 g de chocolat aux noisettes
- 10 cl de crème fleurette
- 4 c. à s. de poudre de noisettes

À la montagne

MOUSSE DE REBLOCHON AU CUMIN

INGRÉDIENTS
- ½ reblochon à point
- 3 c. à s. de crème fleurette
- 1 c. à s. de grains de cumin

1 Retirer la croûte du reblochon et le couper en morceaux.

2 Mettre les morceaux dans une casserole et laisser fondre doucement.

3 Ajouter la crème fleurette et fouetter en mousse. Ajouter le cumin.

4 Déguster chaud sur de grandes tartines de pain rond mais aussi sur des pommes de terre, des carottes ou du céleri.

variante

Ajouter des petits cornichons et des oignons sur les tartines.

PÂTÉ DE JAMBON CRU

1 Retirer le gras du jambon et couper la chair en fins morceaux.

2 Concasser les noix grossièrement.

3 Mettre le tout dans un bol. Ajouter la brousse, la crème fraîche, la ciboulette et le poivre frais. Goûter et rectifier l'assaisonnement si nécessaire. (Ne pas saler car la noix de jambon contient déjà du sel.)

4 Bien mélanger et verser dans une petite terrine. Réserver au frais.

5 Tartiner sur de la baguette.

INGRÉDIENTS
- 6 tranches de noix de jambon savoyard
- 6 cerneaux de noix
- 4 c. à s. de brousse
- 1 c. à s. de crème épaisse
- 1 c. à s. de ciboulette ciselée
- 2 ou 3 pincées de poivre frais

GELÉE DE POMME AU GÉNÉPI

INGRÉDIENTS
- 3 pommes douces
- 1 c. à s. de miel de montagne
- 2 c. à s. de génépi
- 1 c. à s. d'agar-agar

1 Peler les pommes. Enlever la partie dure centrale puis couper les fruits en quartiers, puis en lamelles.

2 Mettre celles-ci dans une casserole et ajouter de l'eau. Faire cuire à feu doux pendant environ 20 minutes.

3 Mixer le mélange en ajoutant un peu d'eau si la texture est trop épaisse. Sucrer avec le miel puis ajouter le génépi.

4 Verser un peu d'agar-agar puis faire chauffer en suivant les indications portées sur le paquet afin que la gelée prenne.

5 Verser dans un pot à confiture et laisser refroidir.

6 Déguster avec du fromage de montagne de type beaufort ou tomme et du pain de campagne.

Un petit tour au square

MOUSSE DE FROMAGE BLEU AUX FRUITS SECS

INGRÉDIENTS
- 1 pot de fromage de type saint-agur
- 3 c. à s. de crème fleurette
- 4 abricots secs
- 1 c. à s. de raisins de Corinthe

1 Verser le fromage dans le bol du mixeur et ajouter la crème fleurette. Mixer jusqu'à obtention d'une mousse. Verser dans un bol.

2 Couper les abricots en petits cubes et les ajouter dans le bol avec les raisins. Mélanger soigneusement.

3 Conserver au réfrigérateur.

4 Tartiner sur du pain complet.

TARTINADE DE POULET AUX AMANDES ET AU CITRON CONFIT

1 Couper le poulet en aiguillettes.

2 Faire chauffer l'huile d'olive dans une poêle et y faire revenir le poulet.

3 Verser les amandes et les faire griller de toutes parts puis ajouter le ras al-hanout. Mouiller avec de l'eau et faire cuire de 15 à 17 minutes. Ajouter le citron confit à mi-cuisson. Saler et poivrer. Goûter pour rectifier l'assaisonnement. Laisser confire à feu doux.

4 Laisser refroidir dans un bol puis ajouter la coriandre.

5 Déguster dans 1 pita.

INGRÉDIENTS
- 2 escalopes de poulet
- 2 c. à s. d'huile d'olive
- 10 amandes entières mondées
- 1 pincée de ras al-hanout
- 1 c. à c. de pâte de citrons confits
- 3 c. à s. de coriandre ciselée
- Sel et poivre

GOURDE DE COULIS DE MANGUES

1 Peler les mangues et en prélever la chair.
2 La mettre dans le bol du mixeur. Ajouter le sucre
glace et la moitié du jus de citron. Mixer. Vérifier
la consistance : si elle est trop épaisse, ajouter
le reste du jus de citron.
3 Verser dans une petite gourde et déguster
sur 1 tartine de pain aux raisins.

INGRÉDIENTS
- 2 mangues
- 1 c. à c. de sucre glace
- Le jus de 1 citron

variante

Utiliser du citron vert et sucrer
avec du sirop de fruits
de la Passion.

Tout bio, tout bon

PESTO D'OLIVES PIQUANTES

INGRÉDIENTS
- 120 g d'olives piquantes dénoyautées
- 3 c. à s. de parmesan
- 2 c. à s. de pignons
- Huile d'olive

1 Mettre les olives dans le bol du mixeur. Ajouter le parmesan et les pignons.
2 Mixer en versant un peu d'huile d'olive en filet. Le pesto doit rester dense.
3 Tartiner sur du pain grillé.

MOUSSE DE TOFU AUX HERBES ET AUX GRAINES GERMÉES

1 Mettre le tofu soyeux dans le bol du mixeur avec le persil et les graines germées. Mixer.
2 Aromatiser avec la réduction de vinaigre balsamique et mixer de nouveau.
3 Goûter, saler et poivrer si nécessaire.
4 Servir sur des tranches de pain complet.

INGRÉDIENTS
- 100 g de tofu soyeux
- 1 bouquet de persil plat
- 50 g de graines germées
- 2 c. à s. de réduction de vinaigre balsamique
- Sel et poivre

GELÉE DE POMME AUX FRAMBOISES

INGRÉDIENTS
- 2 pommes
- 1 petite barquette de framboises
- 1 c. à s. de sirop de violette
- 1 sachet d'agar-agar

1 Peler les pommes et les couper en quartiers.
2 Les faire cuire dans une petite casserole avec un peu d'eau.
3 Ajouter les framboises. Sucrer avec le sirop de violette.
4 Mixer le tout puis faire cuire de nouveau avec 1 pincée d'agar-agar. La consistance doit rester pâteuse, pour que l'on puisse l'étaler sur 1 tranche de pain de fleur (en boutiques bio).

L'onctuosité fait loi

CRÈME DE ROQUEFORT AUX NOIX

1 Mettre le roquefort et la crème fraîche dans le bol du mixeur et mixer jusqu'à l'obtention d'une texture lisse.

2 Ajouter les noix et mixer selon les goûts : longtemps si l'on souhaite un mélange bien lisse, rapidement si l'on préfère conserver des morceaux.

3 Conserver au frais et déguster sur du pain grillé, des crackers, ou des lamelles de pomme.

INGRÉDIENTS
- 125 g de roquefort
- 10 cl de crème fraîche
- 10 cerneaux de noix

PÂTE DE CAMEMBERT AUX POMMES

INGRÉDIENTS
- 1 camembert
- 60 g de crème fraîche épaisse
- 1 c. à c. de baies roses
- 1 pomme
- Sel et poivre

1 Retirer toute la croute du camembert et le mettre dans le bol du mixeur.

2 Verser la crème fraîche, ajouter les baies roses, saler légèrement et poivrer. Mixer.

3 Peler la pomme et la couper en petits morceaux. En mélanger la moitié avec la préparation précédente. Goûter et ajouter plus de pomme si nécessaire.

4 Déguster sans attendre sur des tranches de pain de campagne grillées.

astuce

Pour une version réservée aux adultes, ajouter un peu de calvados ou de vin blanc dans la préparation.

PURÉE DE CHOCOLAT BLANC
AUX ZESTES DE CITRON VERT

1 Faire fondre doucement le chocolat et le lait concentré dans une casserole. Fouetter pour que le mélange soit bien homogène.

2 Ajouter la crème fraîche et les zestes de citron vert. Mélanger.

3 Verser dans un pot à confiture et réserver au frais afin que la pâte durcisse.

4 Servir sur des tranches de pain de mie brioché.

INGRÉDIENTS
- 180 g de chocolat blanc
- 15 cl de lait concentré sucré
- 1 c. à s. de crème fraîche épaisse
- 1 pincée de zestes de citron vert

100 % produits laitiers

NUAGE DE FROMAGE BLANC AUX HERBES

INGRÉDIENTS
- 150 g de fromage blanc lisse
- 25 g de crème fraîche épaisse
- 1 gousse d'ail
- 2 c. à s. de ciboulette ciselée
- 2 c. à s. de persil ciselé
- Sel et poivre

1 Verser le fromage blanc et la crème fraîche dans un bol et battre au fouet pour bien mélanger.

2 Éplucher l'ail et l'émincer.

3 L'ajouter au mélange avec les herbes, du sel et du poivre. Mélanger et goûter pour vérifier l'assaisonnement.

4 Déguster sur 1 tranche de pain de campagne ou de pain de seigle.

DÉLICE DE CHÈVRE AUX FRUITS SECS ET AUX ÉPICES

1 Verser le yaourt, le fromage de chèvre, le piment d'Espelette et 1 pincée de poivre noir dans le bol du mixeur puis mixer.

2 Verser le mélange dans un bol et ajouter les fruits secs.

3 Déguster sur du pain noir.

variante

Remplacer les fruits secs par des graines : lin, tournesol, courge...

INGRÉDIENTS
- 1 yaourt au lait de chèvre
- 1 fromage de chèvre frais de type Petit Billy
- 1 pincée de piment d'Espelette
- 3 c. à s. de mélange de fruits secs
- Poivre noir

CONFITURE DE LAIT

1 Mettre la boîte de lait concentré sucré dans
une Cocotte-Minute et la recouvrir entièrement d'eau.
[Il est très important qu'elle reste recouverte d'eau
pendant toute la cuisson !]
2 Fermer la Cocotte-Minute et laisser cuire pendant
environ 50 minutes à partir du sifflement.
3 Laisser refroidir puis verser le contenu
de la boîte dans un pot.
4 Déguster sur des toasts de pain de mie.

astuce

Si l'on n'a pas de Cocotte-Minute, faire cuire la boîte
dans une casserole et veiller à ce que la boîte soit
toujours recouverte d'eau.

INGRÉDIENTS
◦ 1 boîte de lait
concentré sucré

Que des confitures...

CONFITURE DE POIVRONS

INGRÉDIENTS
- 3 poivrons rouges
- 2 c. à s. d'huile d'olive
- 1 c. à s. de miel
- 1 c. à s. de romarin frais
- 1 pincée de piment d'Espelette

1 Peler les poivrons à l'aide d'un épluche-légumes. Les épépiner et les couper en cubes.

2 Faire chauffer l'huile d'olive dans une poêle et y faire revenir les poivrons.

3 Ajouter le miel, le romarin, le piment d'Espelette et laisser cuire pendant 20 minutes environ à feu doux.

4 Déguster tiède ou froid sur 1 tranche de pain de campagne grillé.

CONFITURE DE COURGETTES

INGRÉDIENTS
- 500 g de courgettes
- 400 g de sucre pour confiture
- 2 citrons verts

1 Laver les courgettes. Les couper en deux si elles sont grosses afin d'enlever les pépins. Les couper en cubes.

2 Les mettre dans une cocotte avec le sucre, le jus des citrons et le zeste de 1 citron.

3 Faire cuire pendant 1 heure 30 à feu doux en remuant régulièrement.

4 Mixer, éventuellement, la confiture.

5 Servir avec du pain de campagne grillé.

GELÉE DE POMME AU COING

INGRÉDIENTS
- 3 pommes
- 1 coing
- Sucre en poudre

1 Peler les fruits et les couper en gros morceaux.

2 Les mettre dans une casserole avec de l'eau et faire cuire pendant environ 15 minutes.

3 Les mettre ensuite dans un linge propre et les écraser au-dessus d'un saladier afin d'en recueillir le jus.

4 Peser le jus recueilli et préparer la même quantité de sucre.

5 Remettre le jus dans la casserole, ajouter le sucre et laisser bouillir. La gelée va prendre assez rapidement.

6 Verser dans un pot et laisser refroidir.

7 Servir avec du pain de campagne et 1 morceau de comté fruité ou de beaufort.

Le miel et les z'abeilles

RILLETTES DE JAMBON GRILLÉ AU MIEL

1 Préchauffer le four à 170 °C.
2 Badigeonner le jambonneau de miel et de sauce soja.
3 Le faire cuire au four pendant 30 minutes environ.
4 Laisser refroidir puis couper le jambonneau
en morceaux et les mettre dans le bol du mixeur.
Ajouter la sauce et mixer. Si le mélange est trop sec,
ajouter un peu de miel et de sauce soja.
5 Saler et poivrer puis déguster sur des muffins
nature ou sur du pain de mie grillé.

INGRÉDIENTS
- 1 petit jambonneau
- 3 c. à c. de miel
- 6 c. à s. de sauce soja
- Sel et poivre

LÉGUMES CONFITS AU MIEL

1 Préchauffer le four à 160 °C.
2 Peler les carottes et les couper
en rondelles. Couper le fenouil en
lanières. Disposer le tout bien
serré dans un plat allant au four.
3 Éplucher l'ail et l'oignon et les émincer.
Les ajouter dans le plat.
4 Parsemer de thym, ajouter le miel
et l'huile d'olive. Saler et poivrer.
5 Faire cuire au four pendant au moins
1 heure, recouvert de papier sulfurisé.
6 Laisser refroidir avant de déguster
avec de la ciabatta.

INGRÉDIENTS
- 500 g de carottes
- 100 g de fenouil
- 2 gousses d'ail
- 1 oignon
- 1 c. à s. de thym
- 2 c. à s. de miel
- 6 c. à s. d'huile d'olive
- Sel et poivre

MIEL GOURMAND AUX FRUITS SECS GRILLÉS

INGRÉDIENTS
- 100 g de mélange de fruits secs : pignons, noisettes, noix, amandes
- 200 g de miel liquide

1 Faire légèrement griller les fruits secs dans une poêle sans ajouter de matières grasses.

2 Verser le miel dans un pot à fermeture hermétique et y ajouter les fruits secs.

3 Bien mélanger, fermer le pot et attendre quelques jours avant de consommer.

4 Servir sur des crumpets (des pâtisseries anglaises).

variante

Ajouter des graines de sésame grillées.

Fraîcheurs du jardin

PESTO D'HERBES FRAÎCHES

1 Mettre les herbes dans le bol du mixeur avec les anchois, le parmesan, les pignons de pin et un peu d'huile d'olive.
2 Mixer en ajoutant de l'huile d'olive en filet au fur et à mesure. La texture doit rester assez dense. Saler et poivrer.
3 Déguster sur 1 tranche de pain frais ou sur des rondelles de tomate cœur de bœuf.

INGRÉDIENTS
- 1 botte de persil
- 1 botte de ciboulette
- 5 anchois à l'huile
- 4 c. à s. de parmesan
- 4 c. à s. de pignons de pin
- Huile d'olive
- Sel et poivre

GELÉE DE THÉ À LA MENTHE FRAÎCHE

INGRÉDIENTS
- 1 pincée de thé vert
- 3 branches de menthe fraîche
- ½ sachet d'agar-agar

1 Mettre le thé dans 1 verre d'eau bouillante et mélanger.
2 Ajouter la menthe et laisser infuser pendant 10 minutes.
3 Passer au chinois et refaire chauffer. Ajouter l'agar-agar et faire bouillir pendant 2 minutes.
4 Laisser refroidir et en tartiner des aiguillettes de dinde froide.

SALSA DE FRUITS ROUGES AU GINGEMBRE

INGRÉDIENTS
- 250 g de fraises
- 100 g de groseilles
- 100 g de framboises
- le jus de 3 citrons verts
- 1 pincée de piment en poudre
- 1 petit morceau de gingembre frais râpé

1 Mettre les fruits rouges dans un bol et les arroser de citron vert.

2 Ajouter le piment et le gingembre râpé. Hacher grossièrement le tout et mélanger.

3 Déguster sur de la brioche.

astuce

Pour un dessert gourmand, ajouter une boule de sorbet à la mangue.

Mes tartines régressives

La vie en rose

CHUTNEY DE BETTERAVES

1 Préchauffer le four à 160 °C.

2 Y faire cuire les betteraves pendant 1 heure.

3 Les peler puis les couper en cubes.

4 Peler les fruits. Retirer les parties dures et les pépins. Les couper en cubes et les mettre dans une casserole.

5 Éplucher l'oignon et l'ail, les émincer et les mettre dans la casserole. Ajouter le piment, la cannelle, le vinaigre, 1 c. à c. de sel et 1 c. à c. de poivre. Porter à ébullition et faire cuire pendant 10 minutes à feu doux.

6 Ajouter les betteraves et le sucre puis laisser cuire pendant encore 20 minutes environ.

7 Verser dans un bocal, fermer et garder au frais.

8 Servir sur des scones.

variante

Ajouter 1 poignée de raisins de Corinthe.

MOUSSE DE JAMBON

1 Mettre le jambon dans le bol du mixeur. Ajouter le fromage frais, la crème fleurette, le raifort et le persil. Bien mixer.

2 Saler et poivrer puis goûter et rectifier l'assaisonnement.

3 Servir sur des gaufres salées.

variante

Ajouter de la ciboulette.

GELÉE DE FRAISE À LA VIOLETTE

INGRÉDIENTS

- 500 g de fraises
- Le jus de 1 citron
- 2 c. à s. de sirop de violette
- 1 sachet d'agar-agar

1 Laver puis équeuter les fraises.

2 Les mettre dans le bol du mixeur avec le jus de citron puis mixer.

3 Ajouter le sirop de violette pour sucrer. Si le mélange est très compact, ajouter un peu d'eau pour le diluer.

4 Faire chauffer et ajouter l'agar-agar selon les indications portées sur le paquet. Verser dans un pot.

5 Servir sur des madeleines.

Couleur Casimir

CONFIT DE POTIMARRON

INGRÉDIENTS
- 1 petit potimarron
- 10 cl de lait
- 10 cl de crème fraîche
- 1 bonne pincée de curcuma
- 3 capsules de cardamome
- Sel et poivre

1 Préchauffer le four à 160 °C.

2 Couper le haut du potimarron et retirer les pépins.

3 Verser le lait et la crème dans le potimarron puis ajouter le curcuma et les capsules de cardamome.

4 Faire cuire au four pendant 1 heure 30.

5 Gratter ensuite la chair et la mettre dans un saladier. Saler puis poivrer et l'écraser à la fourchette.

6 Servir dans de petites brioches parisiennes.

variante

Remplacer le curcuma et la cardamome par de la noix muscade, du piment ou du garam masala. Ajouter de la coriandre fraîche ciselée.

ŒUFS DE SAUMON À L'ANETH ET AU CITRON

1 Verser les œufs de saumon dans un bol.
2 Prélever quelques zestes sur le citron
et en presser le jus. Les ajouter
aux œufs de saumon.
3 Mélanger délicatement puis ajouter
les herbes. Saler puis poivrer
et mélanger de nouveau.
4 Servir sur des blinis.

INGRÉDIENTS
- 1 pot d'œufs de saumon
- 1 citron non traité
- 3 c. à s. de persil plat ciselé
- 1 c. à s. d'aneth ciselé
- Sel et poivre

astuce

Servir avec de la chantilly au poivre noir et au raifort.

CONFITURE DE CAROTTES À L'EAU DE FLEUR D'ORANGER

INGRÉDIENTS
- 500 g de carottes
- 250 g de sucre en poudre
- Le jus de 1 citron
- 10 cl d'eau
  de fleur d'oranger
- 1 sachet d'agar-agar

1 Peler les carottes et les couper en rondelles.
2 Les mettre dans une casserole. Ajouter
le sucre, le jus de citron, 20 cl d'eau et l'eau
de fleur d'oranger.
3 Laisser cuire à feu doux pendant
environ 50 minutes.
4 Mixer la préparation pour la lisser
et ajouter l'agar-agar en suivant
les indications portées sur le paquet.
5 Porter à ébullition et laisser frémir
pendant 2 minutes.
6 Laisser refroidir puis déguster
avec du pain brioché.

variante

Ajouter de la cannelle et 1 pincée de vanille.

Lemon forever

RILLETTES DE POULET AU CITRON

INGRÉDIENTS
- 50 g de noisettes
- 1 citron jaune non traité
- 120 g de blanc de poulet cuit
- 3 c. à s. de ricotta
- 1 c. à s. d'estragon
- Sel et poivre

1 Faire griller les noisettes à sec.

2 Prélever 1 c. à c. de zestes sur le citron puis le presser pour en extraire le jus.

3 Mettre le poulet dans le bol du mixeur avec la ricotta, les zestes, le jus de citron et l'estragon. Mixer.

4 Ajouter les noisettes. Mixer de nouveau sans insister pour obtenir une texture un peu croquante. Pour une texture lisse, mixer plus longtemps.

5 Saler puis poivrer et réserver dans un bol recouvert de film alimentaire.

6 Servir sur des blinis à la farine complète.

CHUTNEY AUX CITRONS

1 Laver les citrons. Les couper en deux et retirer tous les pépins. Hacher grossièrement. Déposer les morceaux dans un saladier et parsemer de 15 g de sel. Laisser macérer pendant toute une nuit.

2 Le lendemain, peler les oignons et les émincer finement.

3 Mettre les citrons et les oignons dans une grande casserole puis ajouter le sucre, le vinaigre, les raisins secs, les graines de moutarde, le gingembre et le piment. Mélanger à l'aide d'une cuillère en bois.

4 Porter à ébullition et laisser mijoter pendant 1 heure puis verser dans des pots. Fermer hermétiquement.

5 Déguster froid, sur 1 tranche de pain grillé, avec un reste de poisson.

INGRÉDIENTS
- 3 citrons non traités
- 2 petits oignons
- 200 g de sucre roux en poudre
- 20 cl de vinaigre de cidre
- 60 g de raisins secs
- 3 c. à s. de graines de moutarde
- 1 petit morceau de gingembre frais râpé
- 1 c. à c. de piment d'Espelette
- Sel

LEMON CURD

1 Verser le sucre, les œufs, les zestes et le jus de citron dans une casserole.
2 Battre au fouet et faire chauffer doucement. Le mélange va épaissir.
3 Arrêter la cuisson et ajouter le beurre tout en fouettant.
4 Servir sur des meringues.

INGRÉDIENTS

- 120 g de sucre fin
- 3 œufs extra-frais
- 2 c. à s. de zestes de citron
- 15 cl de jus de citron
- 150 g de beurre fermier

Quelques grammes de douceur

MASCARPONE AUX TROIS POIVRES

INGRÉDIENTS
- 1 œuf
- 125 g de mascarpone
- 1 c. à c. de mélange de trois poivres
- Sel

1 Séparer le blanc du jaune d'œuf.
2 Monter le blanc en neige avec 1 pincée de sel.
3 Battre le mascarpone avec le jaune d'œuf. Ajouter le poivre.
4 Incorporer délicatement le blanc et réserver au frais.
5 Déguster sur 1 tranche de pain frais.

CRÈME DE FOIE GRAS

INGRÉDIENTS
- 100 g de foie gras
- 20 cl de crème fraîche épaisse
- 1 pincée de piment d'Espelette
- Sel et poivre

1 Retirer la graisse du foie gras.
2 Mettre le morceau dans le bol du mixeur et ajouter la crème fraîche, le piment d'Espelette, du sel et du poivre. Mixer en crème.
3 Mettre dans un bol et réserver au frais.
4 Déguster sur 1 tranche de pain de mie grillée.

astuce

Déguster accompagné de figues légèrement revenues à la poêle.

CONFIT DE GRIOTTES ACIDULÉ

1 Dénoyauter les cerises.
2 Les mettre dans une casserole et ajouter le sucre. Faire cuire à feu doux pendant environ 1 heure ou jusqu'à ce que le mélange soit confit.
3 Ajouter le sirop de rose en fin de cuisson. Goûter et ajouter du sirop de rose si nécessaire.
4 Tartiner sur du kouglof.

INGRÉDIENTS
- 200 g de cerises griottes
- 200 g de sucre en poudre
- 1 c. à s. de sirop de rose

variante

Remplacer le sirop de rose par du sirop de violette, de menthe, d'orgeat ou de pamplemousse.

Place à l'exotisme

TARTINADE D'AGNEAU AU CURRY EXPRESS

INGRÉDIENTS

- 1 oignon
- 50 g d'épaule d'agneau
- 2 c. à s. d'huile
- 1 petite boîte de lait de coco
- 1 c. à s. de curry
- 20 g de raisins secs
- 1 c. à s. de coriandre ciselée
- Sel et poivre

1 Éplucher l'oignon puis l'émincer.

2 Couper la viande en petits cubes.

3 Faire chauffer l'huile dans une poêle et y faire revenir l'oignon. Ajouter ensuite la viande et la faire dorer de toutes parts. Verser le lait de coco, ajouter le curry et laisser mijoter pendant 20 minutes environ.

4 Ajouter les raisins secs et laisser cuire pendant encore 10 minutes, pour qu'ils aient le temps de gonfler. Saler et poivrer.

5 Laisser refroidir la préparation puis la mixer.

6 Ajouter la coriandre et mixer de nouveau.

7 Déguster sur des naans ou des pains libanais.

CONFITURE DE PATATES DOUCES AUX ÉPICES

INGRÉDIENTS

- 2 patates douces roses
- 150 g de sucre roux en poudre
- 4 capsules de cardamome
- 1 c. à s. de rhum

1 Peler les patates douces et les couper en cubes.

2 Les faire cuire à la vapeur ou dans de l'eau bouillante.

3 Les mixer grossièrement.

4 Faire un sirop de sucre avec le sucre et 25 cl d'eau.

5 L'ajouter à la purée de patates douces avec les capsules de cardamome et mélanger.

6 Faire cuire pendant 20 minutes environ. Verser le rhum en fin de cuisson.

7 Laisser refroidir et garder dans des pots.

8 Déguster nature ou accompagné de 1 tranche de rôti de porc.

CONFITURE AU LAIT DE COCO ET AU CITRON VERT

INGRÉDIENTS

- 2 noix de coco
- 250 g de sucre roux en poudre
- Le zeste de 1 citron vert
- 1 pincée de graines de vanille

1 Faire un trou dans les noix de coco à l'aide d'un tire-bouchon et verser le lait dans une casserole.

2 Casser ensuite les noix de coco en deux. Prélever la pulpe, la verser dans le bol du mixeur et mixer.

3 Faire un sirop avec le sucre et 40 cl d'eau, puis y ajouter le zeste de citron vert et la vanille. Ajouter la pulpe de coco et le lait puis mélanger.

4 Faire cuire pendant 1 heure environ. La pulpe de coco doit devenir transparente.

5 Servir froid sur du pandoro (un gâteau de Noël italien).

Ode au chocolat

OIGNONS AU CACAO

INGRÉDIENTS
- 3 gros oignons
- 1 c. à s. d'huile d'olive
- 250 g de sucre
- 5 c. à s. de vinaigre balsamique
- 1 c. à s. de cacao amer de type Van Houten®

1 Peler les oignons puis les émincer.

2 Les faire blondir dans une poêle avec l'huile d'olive.

3 Faire un caramel à sec en versant le sucre dans une poêle. Laisser blondir en remuant sans cesse à l'aide d'une cuillère en bois et arrêter la cuisson en ajoutant le vinaigre balsamique et le cacao.

4 Ajouter les oignons et laisser cuire à feu doux pendant 20 minutes en remuant régulièrement à l'aide d'une cuillère en bois.

5 Laisser refroidir et réserver au frais.

6 Déguster tartiné sur du gibier ou du foie gras.

TARTINADE DE VEAU AU CHOCOLAT

INGRÉDIENTS

- 1 oignon
- 1 carotte
- 2 c. à s. d'huile d'olive
- 400 g de carbonade de veau
- 1 verre de vin rouge
- 1 c. à c. de cacao amer de type van Houten
- Sel et poivre

1 Éplucher l'oignon et le couper en lamelles. Peler la carotte et la couper en petits tronçons.

2 Faire chauffer l'huile d'olive dans une grande poêle et y faire revenir les carottes et l'oignon.

3 Ajouter la viande et la faire dorer de toutes parts.

4 Verser le vin et laisser cuire pendant 20 minutes environ. Saupoudrer de cacao amer et poursuivre la cuisson pendant encore quelques minutes. Saler et poivrer.

5 Laisser refroidir et hacher grossièrement.

6 Tartiner sur du pain grillé.

PÂTE À TARTINER 100 % CHOCOLAT AU LAIT

INGRÉDIENTS

- 180 g de sucre en poudre
- 15 cl de lait demi-écrémé
- 10 cl de crème fraîche
- 200 g de chocolat au lait
- 40 g de beurre

1 Faire un caramel à sec en versant le sucre dans une poêle. Laisser blondir en remuant sans cesse à l'aide d'une cuillère en bois. Arrêter la cuisson en ajoutant le lait et la crème.

2 Ajouter le chocolat cassé en morceaux et le beurre. Mélanger au fouet pour éviter les grumeaux.

3 Verser dans un pot et laisser refroidir.

4 Déguster sur ce que l'on veut !

Détour par la Suisse

PESTO À LA VIANDE DES GRISONS

INGRÉDIENTS
- 6 tranches de viande des Grisons
- 40 g de pignons de pin
- 150 g de roquette
- 1 filet d'huile d'olive
- 1 pincée de poivre noir concassé

1 Rouler les tranches de viande des Grisons et les émincer finement. Les réserver dans un bol.

2 Faire griller les pignons de pin à sec.

3 Les mettre dans le bol du mixeur avec la roquette. Mixer en ajoutant l'huile d'olive en filet.

4 Verser cette pâte sur la viande des Grisons et ajouter le poivre concassé.

5 Mélanger et déguster sur du pain au muesli.

PÂTE DE VACHERIN SUISSE

1 Couper le fromage en petits morceaux.

2 Frotter les parois d'une casserole avec la demi-gousse d'ail.

3 Mettre le fromage dans la casserole avec un peu d'eau. Faire fondre doucement en remuant. Ajouter le poivre.

4 Déguster chaud sur 1 tranche de pain noir ou sur 1 pomme de terre chaude.

INGRÉDIENTS
- 250 g de vacherin suisse fribourgeois
- ½ gousse d'ail
- 1 pincée de poivre concassé

CRÈME DE TOBLERONE®

INGRÉDIENTS
- 150 g de Toblerone®
- 20 cl de crème fleurette
- 50 g de beurre frais

1 Casser le Toblerone® en morceaux.

2 Faire chauffer la crème fleurette dans une casserole et y faire fondre le Toblerone®.

3 Ajouter ensuite le beurre et bien mélanger.

4 Verser dans un pot, fermer hermétiquement et garder pendant tout une nuit au frais avant de déguster sur du pain grillé.

Souvenirs d'enfance

TARTINADE DE CAROTTES ANCIENNES

INGRÉDIENTS
- 400 g de carottes anciennes
- 1 c. à s. de cumin en poudre
- 5 c. à s. d'huile d'olive
- Sel et poivre

1 Peler les carottes et les couper en rondelles.
2 Les faire cuire à la vapeur pendant 10 minutes.
3 Les mettre ensuite dans le bol du mixeur, ajouter le cumin, 3 c. à s. d'huile d'olive, 1 pincée de sel et 1 pincée de poivre. Mixer en ajoutant le reste d'huile d'olive en filet.
4 Goûter et rectifier l'assaisonnement. Il faut que la pâte soit assez dense.
5 Servir sur des crackers.

FAISSELLE AUX HERBES

1 Laver les herbes puis les sécher. Les ciseler finement.
2 Éplucher l'échalote puis l'émincer très finement.
3 Démouler les faisselles dans un bol et y ajouter les herbes ciselées et l'échalote émincée. Mélanger à la fourchette.
4 Goûter pour rectifier l'assaisonnement.
5 Déguster bien frais sur 1 tranche de pain aux céréales.

INGRÉDIENTS
- 1 botte de ciboulette
- 1 botte de persil
- 1 échalote
- 2 petites faisselles de chèvre frais
- Sel et poivre

« NUTELLA » MAISON

INGRÉDIENTS

- 200 g de chocolat au lait
- 150 g de crème fleurette
- 50 g de sucre en poudre
- 1 c. à c. de graines de vanille
- 50 g de poudre de noisettes
- 2 c. à s. d'huile de noisette

1 Casser le chocolat en morceaux.
2 Porter la crème à ébullition et y faire fondre le chocolat.
3 Ajouter le sucre, la vanille, la poudre de noisettes et l'huile de noisette. Battre au fouet pour que le mélange soit bien lisse.
4 Verser dans un pot et déguster sur 1 tranche de pain frais.

variante

Remplacer la poudre de noisette par des noisettes entières grossièrement mixées.

Envie de gourmandises

BROUILLADE AU PAPRIKA

INGRÉDIENTS

- 4 œufs
- 2 c. à s. de crème fraîche
- 25 g de beurre
- 1 pincée de paprika
- Sel et poivre

1 Casser les œufs dans un bol et les battre au fouet.

2 Les faire cuire au bain-marie pendant 3 minutes.

3 Ajouter la crème et le beurre puis laisser cuire à feu doux en fouettant jusqu'à ce que le mélange devienne onctueux.

4 Saler, poivrer et ajouter le paprika.

5 Déguster chaud sur un toast de pain complet.

GELÉE DE PÉTALES DE ROSES

1 Porter à ébullition 50 cl d'eau puis y ajouter
le jus de citron et 10 g de pétales de roses.
2 Faire cuire à feu doux
pendant 30 minutes environ.
3 Passer le mélange au chinois.
4 Ajouter le sucre et porter doucement
à ébullition. Maintenir à ébullition
pendant 5 bonnes minutes.
5 Ajouter le reste de pétales de roses
et faire cuire pendant encore 10 minutes.
6 Écumer et verser dans un pot à confiture.
7 Déguster avec du pain et du fromage frais.

INGRÉDIENTS
- Le jus de 1 citron
- 12 g de pétales de roses
- 500 g de sucre à confiture

PÂTE À TARTINER AU CHOCOLAT BLANC ET AUX AMANDES GRILLÉES

INGRÉDIENTS
- 180 g de chocolat blanc
- 120 g de crème fleurette
- 50 g d'amandes
- Le zeste de 1 citron vert

1 Casser le chocolat en morceaux.
2 Verser la crème fleurette dans une casserole
et porter doucement à ébullition.
3 Faire fondre le chocolat blanc dans la crème
tout en battant bien au fouet.
4 Faire griller les amandes à sec dans une poêle.
5 Les ajouter dans la casserole avec le zeste
de citron vert.
6 Mélanger puis verser dans un pot. Laisser durcir
pendant une nuit au frais.
7 Servir sur des tranches de pain blanc
ou sur des sablés.

astuce

On peut concasser les amandes.

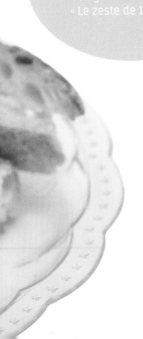

Ultra nature

CRÈME DE TOFU À LA TAPENADE

1 Laver le basilic et le sécher.
2 Mettre les feuilles dans le bol du mixeur
avec le tofu et la tapenade.
3 Mixer jusqu'à l'obtention d'un mélange lisse.
4 Verser dans un bol et laisser reposer au frais.
5 Servir avec des gressins.

INGRÉDIENTS
- 1 botte de basilic
- 100 g de tofu soyeux
- 5 c. à s. de tapenade noire

astuce

Le tofu soyeux a peu de goût mais sa texture se prête très bien
aux tartinades. Il ne faut pas hésiter à le mélanger avec
du citron confit, du pesto, etc.

CONFIT DE FLEURS DE BASILIC

1 Passer rapidement le basilic sous l'eau
et le sécher avec du papier absorbant.
2 Remplir un bocal aux deux tiers avec
les feuilles et les fleurs de basilic.
Ajouter le gros sel puis verser l'huile
d'olive. Bien mélanger.
3 Fermer le bocal et laisser
macérer pendant 2 semaines.
4 Tartiner sur 1 tranche de pain grillée
et accompagner de tomates.

INGRÉDIENTS
- 2 bottes de basilic avec fleurs
- 1 c. à c. de gros sel marin
- 20 cl d'huile d'olive fruitée

variante

On peut déguster ce confit avec des pâtes.

PÂTE À TARTINER AUX NOISETTES

1 Faire fondre le chocolat au bain-marie.
2 Ajouter la purée de noisettes et le sirop d'agave.
Bien mélanger. C'est un peu difficile, car la purée
de noisettes est souvent assez compacte. Ajouter
un peu de crème ou de lait de soja pour
l'assouplir.
3 Servir sur des toasts de pain de mie.

INGRÉDIENTS
- 25 g de chocolat extra-noir
- 100 g de purée de noisettes
  (en boutiques bio)
- 40 g de sirop d'agave
- 1 c. à s. de crème de soja

variante

Délicieux aussi avec de la purée d'amandes
blanches (en boutiques bio).

Parfums d'antan

CONFIT DE PANAIS ACIDULÉ

1 Peler les panais et les couper en rondelles.
2 Faire chauffer l'huile d'olive dans une poêle et y faire revenir les panais.
3 Arroser de jus de citron et laisser cuire à couvert pendant 5 minutes.
4 Ajouter la pâte de citrons confits, bien mélanger puis verser le miel. Laisser confire pendant encore 5 minutes. Saler puis poivrer.
5 Écraser grossièrement à la fourchette et déguster tiède ou froid sur 1 tranche de pain frais.

INGRÉDIENTS

- 4 panais
- 2 c. à s. d'huile d'olive
- Le jus de 1 citron
- 1 c. à s. de pâte de citrons confits
- 1 c. à s. de miel liquide
- Sel et poivre

variante

Remplacer le miel par du sirop d'agave ou du sirop d'érable.

PURÉE DE TOMATES SÉCHÉES

INGRÉDIENTS

- 1 bocal de tomates séchées à l'huile
- 3 pincées de piment de Cayenne
- 1 pincée de sel
- 5 pincées de poivre concassé

1 Retirer les tomates du bocal et les mettre dans le bol du mixeur. Ajouter 1 c. à s. d'huile du bocal en prenant également les petites herbes qui se sont déposées au fond. Mixer en purée. Ajouter plus ou moins d'huile selon la consistance de votre purée.
2 Verser la purée dans un petit bol et ajouter le poivre, le piment et le sel. Mélanger et goûter pour rectifier l'assaisonnement.
3 Déguster sur des crackers.

PÂTE DE PETITS-BEURRE

1 Faire fondre le beurre et l'huile dans une casserole.
2 Mettre les petits-beurre dans le bol du mixeur
et mixer en poudre.
3 Ajouter la poudre des petits-beurre dans
la casserole puis verser le lait concentré sucré.
4 Battre au fouet jusqu'à l'obtention d'une pâte
lisse et onctueuse.

variante

On peut remplacer les petits-beurre par des biscuits
roses de Reims.

INGRÉDIENTS
- 125 g de beurre frais
- 1 c. à s. d'huile
- 200 g de petits-beurre
- Les ¾ d'une boîte
  de lait concentré sucré

Trop bon !

TARTARE D'ANGUILLE FUMÉE

1 Hacher les anguilles fumées au couteau.
2 Éplucher l'échalote et la hacher.
3 Mettre les morceaux dans un bol et ajouter
le jus de citron, l'huile d'olive, le persil,
la ciboulette et l'aneth. Mélanger, saler
très légèrement et bien poivrer.
4 Laisser mariner pendant quelques heures
avant de servir sur 1 tranche de pain grillée.

INGRÉDIENTS
- 200 g d'anguilles fumées
- 1 échalote grise
- 2 c. à s. de jus de citron
- 1 c. à c. d'huile d'olive
- 1 c. à c. de persil ciselé
- 1 c. à c. de ciboulette ciselée
- 1 c. à c. d'aneth haché
- Sel et poivre

variante

On peut faire une version plus classique avec
du saumon fumé.

GUACAMOLE DE MANGUE PIMENTÉ

1 Peler les mangues et détacher la chair.
2 La mettre dans le bol du mixeur. Ajouter
le jus des citrons verts, le zeste
de 1/2 citron vert, les feuilles de menthe
et le miel puis mixer.
3 Goûter pour rectifier l'assaisonnement
puis ajouter le piment.
4 Verser dans un bol et déguster frais
sur des tortillas mexicaines.

INGRÉDIENTS
- 3 mangues
- 2 citrons verts
- 3 feuilles
  de menthe fraîche
- 1 c. à s. de miel liquide
- 1 pincée de piment
  frais fraîchement moulu

CRÈME DE CALISSONS

INGRÉDIENTS

- 1 petit œuf
- 90 g de poudre d'amandes
- 25 g de sucre glace
- 3 gouttes d'amande amère
- 1 c. à s. d'eau de fleur oranger
- 1 cm d'orange confite
- 0,5 cm de melon confit

1 Casser l'œuf puis mettre tous les ingrédients dans le bol du mixeur. Mixer longuement.

2 Goûter et ajouter 1 goutte d'amande amère et un peu plus d'eau de fleur d'oranger si nécessaire.

3 Déguster sur 1 tranche de pain blanc ou sur un fond de tarte en pâte sablée.

Sensations fortes

CRÈME DE MUNSTER AU CUMIN

1 Retirer la croûte du munster. Le couper en morceaux.
2 Le faire fondre doucement dans une casserole
puis ajouter la crème et le cumin. Poivrer.
3 Mélanger et étaler sur 1 tranche de pain
de campagne.

astuce

Servir à l'apéritif sur des petits blinis complets.

INGRÉDIENTS
- 1 petit munster
- 3 c. à s. de crème
  fraîche épaisse
- 1 c. à s. de graines
  de cumin
- Poivre

PICKLES DE POT-AU-FEU AU RAIFORT ET AUX CORNICHONS

1 Hacher grossièrement au couteau la viande, les cornichons et les oignons préalablement épluchés.
2 Verser le tout dans un bol et mélanger avec le raifort, le vinaigre doux et l'huile. Saler et poivrer.
3 Déguster sur 1 tranche de pain complet ou de pain aux céréales.

INGRÉDIENTS
- 150 g de restes de viande de pot-au-feu
- 3 cornichons russes
- 3 oignons grelots
- 1 c. à s. de raifort
- 1 c. à s. de vinaigre de miel
- 1 c. à s. d'huile d'olive
- Sel et poivre

GELÉE DE SIROP D'ÉRABLE

INGRÉDIENTS
- 20 cl de sirop d'érable
- 1 sachet d'agar-agar

1 Verser le sirop d'érable dans une casserole et ajouter 25 cl d'eau.
2 Porter à ébullition et ajouter de l'agar-agar en suivant les indications portées sur le paquet. Faire bouillir pendant quelques minutes et verser dans un pot à confiture. Fermer hermétiquement.
3 Laisser refroidir : le mélange va se gélifier.
4 Déguster sur des pancakes mais aussi avec des lamelles de pommes crues, des quartiers d'orange, ou, pour les plus audacieux, avec du comté, du beaufort ou du fromage de chèvre demi-sec.

astuce

Ajouter de la crème fleurette afin d'obtenir une crème au sirop d'érable, que l'on utilisera pour napper un gâteau ou une tarte.

Mes tartines inventives

Terrible !

TERRINE D'AVOCAT À LA CORIANDRE

INGRÉDIENTS

- 2 avocats
- Le jus de 2 citrons
- 3 c. à s. de ricotta
- 1 pincée de piment d'Espelette
- 4 crevettes roses décortiquées
- 2 c. à s. de coriandre ciselée
- Sel et poivre

1 Prélever la chair des avocats et la mixer avec le jus de citron.

2 Ajouter la ricotta, le piment d'Espelette, du sel et du poivre puis mixer de nouveau.

3 Verser la moitié du mélange dans une terrine souple, déposer les crevettes par-dessus et recouvrir du reste de la préparation. Parsemer de coriandre ciselée.

4 Mettre au frais pour que cela durcisse.

5 Servir sur du pain grillé.

variante

Remplacer la ricotta par du mascarpone ou de la brousse.

MOUSSE DE ROQUEFORT AUX NOIX ET AUX FIGUES

INGRÉDIENTS

- 4 crèmes de roquefort
- 2 c. à s. de crème fraîche
- 2 figues sèches
- 5 cerneaux de noix
- Poivre

1 Mettre les crèmes de roquefort dans un bol puis ajouter la crème fraîche.

2 Battre au fouet afin d'obtenir une mousse.

3 Couper les figues en petits morceaux et concasser les noix. Les verser dans le bol, poivrer et bien mélanger.

4 Déguster sur 1 tranche de pain noir.

« CRUNCH » À TARTINER AU CHOCOLAT BLANC

1 Verser la crème fleurette dans une casserole
et porter à ébullition.

2 Ajouter le chocolat blanc et faire fondre.
Battre au fouet pour bien mélanger.

3 Laisser refroidir pendant quelques minutes
puis ajouter le riz soufflé caramélisé et les pépites
de fraises. Mélanger.

4 Déguster sur 1 part de cake au citron
ou sur des rondelles de fruits.

INGRÉDIENTS

- 12 cl de crème fleurette
- 180 g de chocolat blanc
- 50 g de riz soufflé
  caramélisé
- 50 g de pépites
  de fraises séchées

astuce

Les pépites de fraises séchées s'achètent
dans les épiceries fines, dans les grandes surfaces
au rayon des fruits secs ou des graines
et dans les magasins bio.

Déjeuner à l'anglaise

GELÉE DE MARMITE® AUX ÉPICES

INGRÉDIENTS
- 1 c. à s. de Marmite®
- 1 pincée de poivre du Sichuan
- 1 c. à s. de persil plat ciselé
- 1 sachet d'agar-agar

1 Délayer la Marmite® dans 30 cl d'eau ou un peu plus si le goût semble trop fort.
2 Verser dans une casserole et porter à ébullition.
3 Ajouter le poivre du Sichuan et le persil. Verser l'agar-agar en suivant les indications portées sur le paquet et laisser frémir pendant quelques minutes.
4 Verser dans un pot et attendre que cela gélifie. Délicieux nature sur du pain ou accompagné de poulet froid.

remarque

La Marmite® est un produit typiquement anglais à base de bouillon de viande. Les Britanniques en mangent dès le petit déjeuner sur du pain de mie. On le trouve dans les épiceries anglaises ou au rayon anglais des grandes surfaces.

MARMELADE DE PAMPLEMOUSSES

INGRÉDIENTS
- 3 pamplemousses non traités
- 1 petit morceau de gingembre
- 500 g de sucre en poudre

1 Bien laver les pamplemousses. Les éplucher et couper la peau en lanières. Couper les quartiers de pamplemousse en deux.

2 Peler le gingembre et le couper en tronçons.

3 Mettre le tout dans un saladier et ajouter 1,2 l d'eau. Ajouter également quelques pépins, car ils aident la marmelade à prendre.

4 Le lendemain, faire cuire à couvert dans une casserole, à feu doux, pendant environ 2 heures.

5 Ajouter le sucre et laisser cuire pendant encore 30 minutes.

6 Verser dans des pots et déguster au bout de 1 semaine sur des scones.

PÂTE À L'AFTER EIGTH®

1 Verser la crème fleurette dans une casserole et porter doucement à ébullition.

2 Ajouter l'agar-agar et laisser frémir pendant quelques minutes.

3 Hors du feu, ajouter les After Eight® et battre rapidement au fouet pour qu'ils fondent.

4 Lorsque la crème est homogène, verser dans un pot et laisser refroidir.

5 Servir sur des petits sablés.

INGRÉDIENTS
- 40 cl de crème fleurette
- 2 pincées d'agar-agar
- 15 After Eight®

variante

Ajouter des morceaux d'orange confite.

Bon comme un bonbon

PÉPITES DE FROMAGE PÉTILLANT

1 Faire des pépites avec le chèvre frais.
2 Verser les abricots secs dans le bol du mixeur et mixer.
3 Rouler les pépites de chèvre dans l'abricot puis dans le sucre pétillant.
4 Déguster sur des petits canapés.

INGRÉDIENTS
- 1 chèvre frais de type Petit Billy
- 5 abricots secs peu sucrés
- 1 c. à c. de sucre pétillant

astuce

On trouve le sucre pétillant sur des sites spécialisés en pâtisserie sur Internet ou chez certains grossistes en pâtisserie.

TRUFFES DE JAMBON AU FROMAGE

1 Mettre le jambon dans le bol du mixeur et ajouter le fromage frais. Poivrer. Mixer.
2 Façonner des truffes dans la paume des mains avec la préparation puis les rouler dans la ciboulette.
3 Déguster sur des blinis.

INGRÉDIENTS
- 2 tranches de jambon blanc
- 1 gros fromage frais de type carré frais
- 3 c. à s. de ciboulette ciselée
- Poivre

CONFITURE DE GUIMAUVE
AROMATISÉE EXPRESS

INGRÉDIENTS
- 250 g de fraises
- 5 c. à s. de Fluff® à la fraise

1 Laver rapidement les fraises sous l'eau et les équeuter.
2 Les mettre dans le bol du mixeur et les mixer.
3 Ajouter le Fluff® et mélanger.
4 Déguster sur des brioches au lait ou sur un fraisier.

remarque

Le Fluff® se trouve en grandes surfaces dans le rayon américain. C'est de la pâte de guimauve. On en trouve du rose à la fraise et du blanc à la vanille. Il se prête merveilleusement aux glaçages.

C'est tout naturel

CRÈME DE FROMAGE BLANC AUX FRUITS SECS

INGRÉDIENTS
- 20 cl de crème fraîche épaisse
- 50 cl de fromage blanc
  à 40 % de matières grasses
- 2 c. à s. de mélange de fruits secs

1 Verser la crème fraîche et le fromage blanc
dans un saladier puis battre au fouet.
On obtient une crème riche et onctueuse.
2 Ajouter le mélange de fruits secs.
3 Déguster sur 1 tranche de pain
de campagne.

variante

Ajouter 1 trait de réduction de vinaigre balsamique.

MARMELADE DE TOFU SOYEUX À LA FRAMBOISE ET À LA ROSE

INGRÉDIENTS
- 150 g de framboises
- 200 g de tofu soyeux
- 3 c. à s. de sirop de rose

1 Laver les framboises.
2 Les mettre dans le bol du mixeur avec
le tofu soyeux et mixer jusqu'à ce que
le mélange soit lisse et homogène.
3 Ajouter le sirop de rose et goûter.
Rectifier si ce n'est pas assez sucré.
4 Verser dans un pot et réserver
pendant 4 heures au réfrigérateur.
5 Déguster sur de la baguette bien fraîche.

variante

Varier les sirops : basilic, violette,
pamplemousse, anis, orgeat, etc.

PESTO SUCRÉ AUX GRAINES GERMÉES

1 Peler la mangue et détacher la chair.
2 La mettre dans le bol du mixeur avec
les graines germées, les fraises et
les amandes. Mixer et ajouter le sirop
de poivre. Goûter et ajouter quelques
amandes pour donner du corps
au pesto si nécessaire.
3 Déguster sur 1 brioche ou
sur 1 part de cake au chocolat.

INGRÉDIENTS
○ 1 mangue
○ 2 poignées de graines germées
○ 8 fraises
○ 1 poignée d'amandes mondées
○ 2 c. à s. de sirop de poivre
(au rayon sirops des épiceries fines)

Chimique mais irrésistible

SALSA DE SURIMI AU CITRON VERT

INGRÉDIENTS
- 6 bâtonnets de surimi
- 1 oignon frais
- 2 tomates
- Le jus de 1 citron
- 1 c. à c. de tabasco
- 2 c. à s. d'huile d'olive
- 1 c. à s. de persil ciselé
- Sel et poivre

1 Hacher les bâtonnets de surimi au couteau.
2 Émincer finement l'oignon.
3 Passer les tomates sous l'eau chaude pour les peler. Les couper finement.
4 Verser ces ingrédients dans un bol avec le jus de citron, le tabasco, l'huile d'olive, le persil, du sel et du poivre. Bien mélanger et goûter afin de rectifier l'assaisonnement.
5 Conserver au frais.
6 Déguster sur du pain grillé.

variante

Varier les saveurs de surimi : crabe, saumon, thon, etc.

MOUSSE DE FLUFF® À LA VANILLE ET FRAMBOISES

INGRÉDIENTS
- 4 c. à s. de Fluff® à la vanille (voir remarque p. 71)
- 250 g de framboises

1 Mettre le Fluff® dans le bol du mixeur, ajouter les framboises et 1 c. à s. d'eau. Mixer. Si le mélange semble trop compact, ajouter un peu d'eau pour le diluer légèrement.
2 Déguster sur de la brioche ou sur 1 gâteau au chocolat.

CRÈME DE FRAISES TAGADA®

INGRÉDIENTS
- 25 fraises Tagada®
- 15 cl de crème fleurette
- 1 pincée d'agar-agar

1 Couper les fraises Tagada® en quatre avec des ciseaux afin qu'elles fondent plus vite.

2 Verser la crème fleurette dans une casserole et porter à ébullition. Ajouter les fraises Tagada® et les faire fondre en battant au fouet.

3 Ajouter la pincée d'agar-agar et faire bouillir pendant quelques minutes.

4 Verser dans un pot et laisser refroidir.

5 Servir sur du pain blanc.

Végétarien

CRÈME DE LENTILLES CORAIL AU LAIT DE COCO

1 Faire cuire les lentilles corail selon les indications du paquet. Les égoutter et les remettre dans la casserole.
2 Verser le lait de coco et ajouter le curry. Réchauffer à feu doux.
3 Mixer de façon à obtenir une crème.
4 Saler, poivrer et parsemer de coriandre. Goûter afin de rectifier l'assaisonnement.
5 Déguster sur des naans nature ou au fromage, sur du pain libanais ou dans 1 pain pita grec tiède.

INGRÉDIENTS
- 200 g de lentilles corail
- 1 brique de lait de coco
- 1 c. à c. de curry
- 2 c. à s. de coriandre ciselée
- Sel et poivre

HOUMOUS DE POIS CHICHES À LA BETTERAVE

INGRÉDIENTS
- 1 boîte de 250 g de pois chiches cuits
- 3 ou 4 c. à s. d'eau des pois chiches
- 1 gousse d'ail émincée
- 1 grosse betterave cuite coupée en morceaux
- 2 ou 3 c. à s. d'huile d'olive
- 1 c. à s. de Tahiné
- Le jus de ½ citron
- 1 c. à c. de cumin en poudre (facultatif)
- Huile de sésame
- Sel et poivre

1 Mixer tous les ingrédients à l'exception de l'huile de sésame jusqu'à l'obtention d'une texture lisse et rose. (En fonction de la qualité et de la cuisson des pois chiches, ajouter quelques gouttes d'eau.)
2 Déguster sur 1 galette de céréales, arrosé de 1 filet d'huile de sésame.

CRÈME DE PAMPLEMOUSSE

INGRÉDIENTS
- 2 œufs
- 100 g de sucre fin
- 1 pamplemousse
- 1 c. à s. de zestes de pamplemousse
- 2 feuilles de gélatine

1 Séparer les blancs des jaunes d'œufs. Verser les jaunes dans un bol et ajouter le sucre fin. Battre afin d'obtenir une crème blanche et mousseuse.

2 Prélever le zeste du pamplemousse et presser le jus. Ajouter les zestes et la moitié du jus de pamplemousse à la préparation précédente.

3 Monter les blancs d'œufs en neige ferme. Les incorporer délicatement au mélange.

4 Passer rapidement les feuilles de gélatine sous l'eau puis les faire fondre avec 2 c. à s. d'eau chaude. Les ajouter à la crème de pamplemousse en retirant les bouts non fondus. Laisser refroidir.

5 Déguster dans des petites brioches, avec des meringues ou sur des biscuits roses de Reims.

Vive le ketchup !

RILLETTES DE JAMBON AU MIEL, À L'ANANAS ET AU KETCHUP ÉPICÉ

INGRÉDIENTS
- 2 tranches de jambon braisé au miel
- 2 tranches d'ananas
- 4 c. à s. de brousse
- 3 c. à s. de ketchup épicé

1 Retirer la couenne du jambon. Le couper grossièrement en morceaux au couteau ou au mixeur.

2 Couper l'ananas en petits morceaux.

3 Mettre ces 2 ingrédients dans un bol et bien mélanger.

4 Ajouter la brousse et le ketchup puis mélanger intimement.

5 Servir sur des petits canapés de pain brioché.

MOUSSE DE KETCHUP DOUX

1 Séparer les blancs des jaunes d'œufs.

2 Ajouter 1 pincée de sel dans les blancs et les monter en neige ferme.

3 Battre le mascarpone avec les jaunes d'œufs puis ajouter le ketchup. Goûter et ajouter un peu de ketchup si nécessaire.

4 Incorporer délicatement les blancs d'œufs et laisser prendre pendant 1 heure au réfrigérateur.

5 Poivrer et déguster sur des biscuits à apéritif ou sur des chips de légumes.

INGRÉDIENTS
- 2 œufs
- 250 g de mascarpone
- 5 c. à s. de ketchup
- Sel et poivre

GELÉE DE KETCHUP

1 Verser le ketchup dans une casserole
et le diluer avec 20 cl d'eau. Goûter :
il faut que ce soit fort en ketchup.

2 Porter à ébullition et ajouter le sucre.

3 Ajouter ensuite l'agar-agar
en suivant les indications
portées sur le paquet.

4 Verser dans un pot et laisser gélifier.

5 Déguster sur du pain blanc ou accompagné
de fromage ou de viande froide.

INGRÉDIENTS
- ½ bouteille de ketchup
- 1 c. à c. de sucre en poudre
- 1 sachet d'agar-agar

Made in the USA

PHILADELPHIA AUX HERBES

INGRÉDIENTS
- 4 c. à s. de Philadelphia (un fromage frais d'origine américaine)
- 2 c. à s. de crème fraîche
- 2 c. à s. d'herbes fraîches ciselées (basilic, coriandre, ciboulette, persil)
- Sel et poivre

1 Mettre le Philadelphia dans un bol et ajouter la crème fraîche.

2 Battre vigoureusement au fouet pour rendre le mélange homogène.

3 Ajouter les herbes puis saler et poivrer.

4 Déguster avec des crackers.

SALSA DE BURGER

1 Couper les tomates préalablement lavées et le cornichon doux en petits cubes.

2 Éplucher l'oignon et l'émincer finement.

3 Mettre le tout dans un bol avec le bœuf haché et mélanger.

4 Verser le jus de citron vert, le tabasco et ajouter le piment d'Espelette, 1 pincée de poivre et 1 pincée de sel. Mélanger, ajouter l'huile d'olive et goûter afin de rectifier l'assaisonnement.

5 Déguster sans attendre sur 1 pain burger, passé au four ou dans le grille-pain.

INGRÉDIENTS
- 2 tomates
- 1 cornichon doux
- 1 oignon
- 150 g de bœuf haché
- Le jus de 1 citron vert
- 1 c. à s. de tabasco
- 1 pincée de piment d'Espelette
- 1 c. à s. d'huile d'olive
- Sel et poivre

astuce

Ajouter du fromage fraîchement râpé.

MOUSSE DE BEURRE DE CACAHUÈTES

INGRÉDIENTS
- 15 cl de crème fleurette
- 5 c. à s. de beurre de cacahuètes lisse

1 Verser la crème fleurette dans un saladier et la monter en chantilly.

2 Y Incorporer délicatement le beurre de cacahuètes.

3 Réserver la mousse au frais.

4 Déguster bien froid sur 1 cupcake nature ou sur 1 muffin.

TARTINADE DE THON AU SÉSAME

INGRÉDIENTS

- 250 g de thon cru
- 1 oignon
- Le jus de 1 citron
- 1 petit morceau de gingembre frais râpé
- 1 c. à s. d'huile de sésame
- 1 c. à s. de graines de sésame

1 Hacher le thon et le mettre dans un bol.

2 Éplucher l'oignon et l'émincer finement.

3 Le verser dans le bol avec le jus de citron et le gingembre râpé. Mélanger.

4 Faire griller les graines de sésame à sec dans une poêle pendant quelques minutes.

5 Les ajouter sur le thon, verser l'huile et bien mélanger.

6 Réserver au frais et servir sur des toasts.

SIPHON DE WASABI

INGRÉDIENTS
- 1 c. à s. de pâte de wasabi
- 3 c. à s. de sauce soja
- Le jus de 1 citron vert
- 1 c. à s. de coriandre ciselée
- 10 cl de crème fleurette
- 10 cl d'huile de sésame

1 Mettre le wasabi dans le bol du mixeur avec la sauce soja, le jus de citron vert et la coriandre. Bien mixer afin d'obtenir un mélange lisse.

2 Ajouter la crème fleurette et l'huile de sésame. Mixer en mousse.

3 Verser la préparation dans un siphon et placer au frais.

4 Servir 1 pointe de mousse sur des blinis.

CRÈME AU CHOCOLAT ET AU WASABI

1 Porter le lait à ébullition dans une casserole. Ajouter le chocolat cassé en morceaux et le sucre.

2 Mélanger les jaunes d'œufs et la Maïzena dans un bol puis ajouter un peu de lait chocolaté. Bien remuer pour éviter les grumeaux.

3 Verser le tout dans la casserole et remuer sans arrêt sur feu doux pendant 2 minutes.

4 Laisser refroidir légèrement et ajouter le wasabi. Goûter et ajouter un peu de wasabi si nécessaire.

5 Déguster cette crème bien froide sur de la brioche.

INGRÉDIENTS
- 50 cl de lait frais
- 50 g de chocolat noir
- 100 g de sucre en poudre
- 2 jaunes d'œufs
- 2 c. à s. Maïzena
- 1 c. à c. de wasabi

Presque comme Mamie

TARTINADE DE FIGUES ET DE FETA

INGRÉDIENTS
- 4 grosses figues sèches
- 3 tomates confites
- 200 g de feta
- 2 c. à s. d'huile d'olive au thym
- Sel et poivre

1 Couper les figues en quatre et les mettre dans le bol du mixeur. Ajouter les tomates confites et la feta émiettée. Mixer.

2 Verser l'huile d'olive pour assouplir la texture. Saler et poivrer. Goûter pour rectifier l'assaisonnement.

3 Servir sur des bagels.

astuce

Utiliser du poivre noir fraîchement moulu.

TARTINE DE PETITS-GRIS

1 Éplucher les échalotes et l'ail puis les émincer finement.

2 Faire chauffer l'huile d'olive dans une poêle et y faire revenir les échalotes et l'ail.

3 Ajouter les escargots, le thym et le romarin. Laisser mijoter pendant quelques minutes. Saler et poivrer.

4 Verser le mélange dans le bol du mixeur et ajouter le persil et le beurre. Mixer.

5 Goûter pour rectifier l'assaisonnement. Verser dans un bol et laisser refroidir.

6 Tartiner sur du pain grillé.

INGRÉDIENTS
- 5 échalotes grises
- 5 gousses d'ail
- 2 c. à s. d'huile d'olive
- 150 g d'escargots petits-gris
- 1 pincée de thym
- 1 pincée de romarin
- 3 c. à s. de persil
- 150 g de beurre
- Sel et poivre

GELÉE DE CRÈME ANGLAISE

INGRÉDIENTS
- 1 feuille de gélatine
- 3 jaunes d'œufs
- 50 g de sucre en poudre
- 50 cl de lait entier
- 1 gousse de vanille

1 Faire ramollir la feuille de gélatine dans de l'eau chaude.

2 Fouetter les jaunes et le sucre dans un saladier afin d'obtenir une crème blanche.

3 Faire chauffer le lait dans une casserole en fouettant.

4 Fendre la gousse de vanille en deux et l'ajouter au lait.

5 Verser le lait sur les œufs et bien fouetter.

6 Remettre le tout dans la casserole, ajouter la gélatine et laisser épaissir en remuant à la cuillère.

7 Verser dans des pots et laisser refroidir.

8 Déguster sur du cake.

Sonate d'automne

PESTO DE MÂCHE AUX NOIX

1 Laver la mâche puis l'essorer.
La mettre dans le bol du mixeur.
2 Ajouter les cerneaux de noix,
le fromage de chèvre et un peu d'huile
d'olive puis mixer. Poivrer et saler
légèrement. Ajouter au fur
et à mesure de l'huile d'olive.
3 Goûter et rectifier l'assaisonnement.
4 Déguster sur du pain grillé.

INGRÉDIENTS
- 150 g de mâche
- 30 g de cerneaux de noix
- 1 fromage de chèvre demi-sec
- 3 c. à s. d'huile d'olive
- Sel et poivre

CONFIT DE CANARD AUX RAISINS ET AUX FIGUES EN TARTINADE

INGRÉDIENTS
- 1 cuisse de canard confit
- 1 petite grappe de raisins
- 2 figues
- Sel et poivre

1 Préchauffer le four à 180 °C.
2 Gratter la graisse de la cuisse
de canard et la réserver.
3 Déposer la cuisse dans un plat
à four et la faire cuire pendant
20 minutes environ.
4 Prélever les grains de raisin
de la grappe et couper les figues
en morceaux.
5 Faire chauffer la graisse dans une poêle
et y faire fondre les figues et le raisin.
6 Désosser la cuisse de canard et mettre
la viande dans le bol du mixeur. Ajouter
les grains de raisin et les figues puis mixer
grossièrement. Saler puis poivrer.
7 Tartiner sur du pain complet grillé.

CONFITURE DE PANAIS AUX ÉPICES

1 Peler les panais et les couper en rondelles.
2 Les faire cuire dans de l'eau bouillante
avec 1 pincée de sel.
3 Les égoutter en gardant un peu d'eau
de cuisson et les mixer.
4 Ajouter la vanille et la purée
d'amandes blanches. Mixer.
5 Déguster tiède sur du pain avec
un peu de poivre.

INGRÉDIENTS

- 200 g de panais
- 1 pincée de vanille
- 60 g de purée d'amandes
  blanches (en boutique bio)
- Sel et poivre

Aphrodisiaque ?

TAPENADE DE PETITS POIS À LA MENTHE ET AU GINGEMBRE

INGRÉDIENTS
- 200 g de petits pois frais ou surgelés
- 4 feuilles de menthe
- 1 fromage de chèvre demi-sec
- 1 c. à c. de gingembre râpé
- 4 c. à s. d'huile d'olive
- Sel et poivre

1 Faire cuire les petits pois dans de l'eau bouillante salée pendant 10 minutes environ. Ils doivent rester al dente.

2 Les mettre dans le bol du mixeur avec un peu d'eau de cuisson, ajouter la menthe et mixer.

3 Ajouter ensuite le fromage de chèvre émietté, le gingembre et l'huile d'olive. Poivrer. Mixer de nouveau puis goûter et rectifier l'assaisonnement si nécessaire.

4 Déguster sur du pain grillé.

RILLETTES DE POULET AU GARAM MASALA

1 Faire griller les pignons de pin à sec dans une poêle.

2 Mettre le poulet dans le bol du mixeur, ajouter les pignons de pin et mixer grossièrement.

3 Ajouter la ricotta, le garam masala, le jus de citron et la coriandre. Saler puis poivrer. Mixer de nouveau puis goûter et rectifier l'assaisonnement si nécessaire.

4 Déguster sur des pains pitas chauds.

INGRÉDIENTS
- 50 g de pignons de pin
- 150 g de restes de poulet rôti
- 4 c. à s. de ricotta
- 2 pincées de garam masala
- Le jus de ½ citron
- 1 c. à s. de coriandre ciselée
- Sel et poivre

CRÈME DE MANGUE À LA CORIANDRE

INGRÉDIENTS

- 1 mangue
- Le jus de 1 citron vert
- ½ poivron rouge
- 1 pincée de piment de la Jamaïque
- 1 c. à s. de coriandre ciselée
- Poivre

1 Peler la mangue et prélever délicatement la chair. La couper en petits cubes.

2 Les mettre dans un bol et arroser de jus de citron vert.

3 Laver le demi-poivron, l'épépiner et le couper en petits morceaux.

4 L'ajouter dans le bol avec le piment et du poivre. Mélanger puis ajouter la coriandre.

5 Laisser reposer au frais. Goûter et rectifier l'assaisonnement si nécessaire.

6 Déguster sur du pain libanais.

On dirait le Sud

CONFIT DE RATATOUILLE À L'AIL ET AUX OLIVES NOIRES

INGRÉDIENTS

- 1 oignon
- 1 gousse d'ail
- 1 poivron
- 1 courgette
- 3 tomates
- 3 c. à s. d'huile d'olive
- 1 c. à s. d'herbes de Provence
- 10 olives noires dénoyautées
- Sel et poivre

1 Éplucher l'oignon et l'ail. Couper l'oignon en rondelles et l'ail en quartiers.

2 Laver les légumes. Couper le poivron en deux, l'épépiner et le tailler en lanières. Couper la courgette en rondelles. Couper les tomates en quatre.

3 Faire chauffer l'huile dans une casserole et y faire revenir tous les légumes.

4 Ajouter les herbes de Provence. Couvrir et laisser mijoter pendant 1 heure 30. Surveiller la cuisson et ajouter de l'huile d'olive si les légumes commencent à coller au fond de la casserole.

5 Ajouter les olives puis laisser confire doucement.

6 Verser le tout dans un bol et laisser refroidir. Saler et poivrer.

7 Déguster sur des toasts.

TARTINADE DE MOUSSAKA

1 Préchauffer le four à 160 °C.
2 Emballer les aubergines dans
du papier d'aluminium et les faire
cuire au four pendant 40 minutes.
3 Éplucher l'oignon et l'ail et les émincer.
4 Les faire revenir dans l'huile d'olive.
Ajouter la viande d'agneau hachée
et bien faire cuire.
5 Verser le coulis de tomates puis laisser
mijoter pendant quelques minutes.
6 Quand les aubergines sont cuites, prélever
la chair à l'aide d'une cuillère et l'ajouter
dans la poêle. Saler, poivrer et mélanger.
7 Réserver dans un pot.
8 Déguster tiède ou froid sur des galettes
de sarrasin ou sur du pain italien.

INGRÉDIENTS
- 2 aubergines
- 1 oignon
- 1 gousse d'ail
- 4 c. à s. d'huile d'olive
- 20 g d'agneau haché
- 4 c. à s. de coulis de tomates
- Sel et poivre

astuce

Ajouter un peu de basilic frais ciselé.

CRÈME D'ABRICOTS À LA LAVANDE

1 Verser le mascarpone dans un bol
et y ajouter le jaune d'œuf. Bien mélanger.
2 Monter le blanc d'œuf en neige.
3 Ajouter la confiture d'abricots
et l'essence de lavande. Battre jusqu'à
l'obtention d'un mélange bien lisse.
4 Ajouter délicatement le blanc d'œuf.
5 Laisser prendre au frais.
6 Servir sur de la brioche ou des madeleines.

INGRÉDIENTS
- 120 g de mascarpone
- 1 œuf extra-frais
- 4 c. à s. de confiture
d'abricots
- 1 petite goutte
d'essence de lavande

variante

Utiliser d'autres confitures.

C'est la fête !

FOIE GRAS AUX FRUITS ROUGES

1 Mettre la tranche de mousse de foie gras dans un bol et l'assouplir à la fourchette.
2 Ajouter la confiture de myrtilles puis mélanger délicatement.
3 Réserver au frais pour que la mousse de foie gras se raffermisse de nouveau.
4 Déguster sur des canapés et décorer avec les groseilles.

INGRÉDIENTS

- 1 tranche de mousse de foie gras
- 1 c. à s. de confiture de myrtilles
- 1 c. à c. de groseilles

variante

Essayer avec de la confiture de figues ou d'abricots.

CONFIT DE LÉGUMES D'HIVER À L'ANIS

INGRÉDIENTS
- 3 navets
- 2 carottes
- 2 c. à s. d'huile d'olive
- Le jus de 1 citron
- 1 c. à s. de miel
- 1 pincée d'anis
- Poivre

1 Peler les légumes et les détailler en bâtonnets très fins.

2 Faire chauffer l'huile dans une poêle et y faire revenir les légumes. Couvrir et laisser cuire doucement.

3 Ajouter le jus de citron pour déglacer puis le miel et parsemer d'anis. Poivrer aussi légèrement. Mélanger et laisser confire doucement.

4 Servir chaud ou tiède dans 1 wrap.

GELÉE AUX ÉPICES

1 Faire bouillir 30 cl d'eau. Ajouter le bâton de cannelle, le sucre vanillé, les capsules de cardamome et laisser infuser pendant 10 minutes. Goûter et ajouter du sucre si nécessaire.

2 Passer l'infusion au chinois et porter de nouveau à frémissements.

3 Ajouter l'agar-agar en suivant les indications portées sur le sachet et faire cuire pendant encore quelques minutes.

4 Verser dans un pot à confiture.

5 Servir sur des sablés au beurre, du foie gras ou du fromage

INGRÉDIENTS
- 1 bâton de cannelle
- 1 sachet de sucre vanillé
- 2 capsules de cardamome
- 1 sachet d'agar-agar

variante

Pour une version réservée aux adultes, ajouter un peu de vin blanc sec dans la gelée.

L'index par ingrédient

Les remerciements

Merci à mes trois loulous gourmands, Hugo, Edgar et Basile, toujours prêts pour de nouvelles expériences. Ils ont adoré les pâtes à tartiner, j'espère qu'il en sera de même pour vous ! Merci à Agnès, de Bourges, à Isabelle, à Céline et à toute l'équipe de chez Tana, à Anne-Laure pour son efficacité.

Merci à Pylônes,
13, rue Sainte-Croix-de-la-Bretonnerie, 75004 Paris

Merci à Valérie pour sa miniboutique extraordinaire, que l'on adore toujours !
Just for life, 20, rue Houdon, 75018 Paris

Conception graphique : Marina Delranc
Rédactionnel : Anne-Laure Estèves
Mise en pages : Bertrand Loquet
Photogravure : Frédéric Bar
Correction : Dominique Trépeau

Fabrication : Thomas Lemaître et Cédric Delsart